D1274279

LUNDI
C'EST VEGGIE !

Chia pudding & cie

–

30 recettes végétariennes
100 % gourmandes

Marion Flipo
Photographies de David Japy

MARABOUT

SOMMAIRE

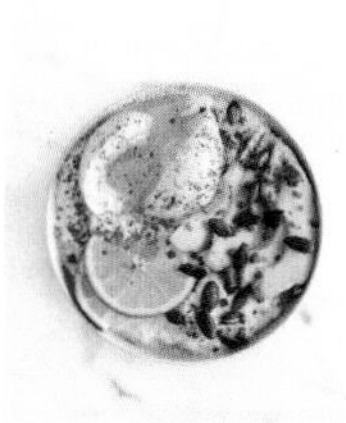

CONSEILS PRATIQUES

LA GRAINE DE CHIA, VERTUEUSE

Originaires du Mexique, ces petites graines au goût relativement neutre sont intéressantes par la texture qu'elles apportent aux préparations, mais aussi par les nombreuses vertus qu'elles possèdent. Très appréciées des végétariens et des vegans pour leur richesse en protéines, acides aminés et oméga 3, elles seraient aussi excellentes pour la santé : digestion, concentration, endurance, coupe-faim, action sur le cholestérol, le diabète ou encore le vieillissement.

UN DRÔLE DE COMPORTEMENT

Substituts aux œufs, donnant une texture aux liquides sans cuisson, ces graines gonflent et se rassemblent en une texture qu'on appelle le « mucilage ». Il faut compter 2 heures pour obtenir la densité finale, mais le mieux est de les préparer la veille.

ASTUCE

Réaliser une base composée de graines de chia et d'eau permet d'avoir toujours au réfrigérateur de quoi faire son pudding et de supprimer ainsi ce temps de repos incompressible lors de leur réalisation.
Pour 600 g de base chia : mélanger 100 g de graines de chia et 50 cl d'eau.

DU BON SUCRE

Oubliez le sucre raffiné : optez pour des produits plus sains comme le miel, les sirops de coco, d'érable ou d'agave, ou bien encore le sucre complet muscovado. Ces produits, tout comme les graines de chia, se trouvent facilement en magasins bio.

À votre tour d'adopter la « Chia Mania » !

MON CLASSIQUE

VEGGIE

PRIMEUR

200 g de coulis fruits rouges (voir page 62)

Fruits rouges frais : framboises, myrtilles et fraises

Feuilles de menthe

ÉPICERIE

40 g de graines de chia + 20 cl d'eau ou 240 g de base chia (voir page 4)

80 g de dessert végétal nature à la noix de coco

40 g de sirop de coco

120 g de granola miel et graines (voir page 61)

Mélanger l'eau et les graines de chia et placer 2 heures minimum au réfrigérateur ou prélever 240 g de la base chia comme expliqué page 4. Ajouter le dessert végétal et le sirop de coco.

Dresser quelques fruits rouges dans le fond des verrines, puis répartir le pudding coco. Taper les verrines sur le plan de travail pour bien uniformiser le niveau.

Ajouter une généreuse couche de coulis fruits rouges. Finir par le granola et ajouter quelques fruits rouges et de la menthe.

L'ENSOLEILLÉ

VEGGIE

PRIMEUR

4 abricots
2 pêches jaunes
Romarin frais

ÉPICERIE

60 g de graines de chia
60 g de sucre muscovado
2 c. à soupe de miel de châtaignier
30 cl de boisson végétale de soja non sucrée
200 g de crème de coco

Mélanger les graines de chia et la boisson de soja, laisser reposer 1 heure. Sur feu doux, faire à peine tiédir la crème de coco pour la rendre tout juste fluide. L'ajouter au pudding en mélangeant bien pour amalgamer l'ensemble. Laisser de nouveau au réfrigérateur 1 heure minimum.

Laver les fruits et les tailler en quartiers réguliers en séparant les deux fruits. Faire caraméliser le miel à la poêle avec quelques brindilles de romarin pour y faire revenir les quartiers d'abricots.

Ajouter le sucre muscovado au pudding et répartir dans des coupelles. Surmonter le pudding d'abricots caramélisés chauds et de quartiers de pêche frais. Décorer d'un peu de romarin.

L'EXOTIQUE

VEGGIE

PRIMEUR

400 g de coulis exotique
1 mangue fraîche
2 fruits de la Passion
1 citron vert

ÉPICERIE

40 g de graines de chia
+ 20 cl d'eau ou 240 g de base chia (voir page 4)
40 g de sirop de coco
½ c. à café rase d'agar-agar
80 g de dessert végétal nature à la noix de coco

Mélanger l'eau et les graines de chia puis placer 2 heures minimum au réfrigérateur ou prélever 240 g de la base chia comme expliqué page 4. Ajouter le dessert végétal et le sirop de coco.

Pendant ce temps, faire chauffer le coulis à feu doux puis ajouter l'agar-agar. Faire bouillir et fouetter vivement. Transvaser dans 4 verres avant de faire prendre au réfrigérateur en biais à l'aide d'un petit support placé en dessous.

Deux à trois heures plus tard, placer le pudding dans l'autre partie du verre.

Ajouter la pulpe de ½ fruit de la Passion sur le dessus de chaque verre, quelques lamelles de mangue et un peu de zeste de citron vert.

LE CITRON BASILIC

VEGGIE

PRIMEUR

4 citrons jaunes (zestes + jus)
Basilic frais
4 c. à soupe de coulis de basilic (voir page 62)

ÉPICERIE

150 g + 125 g de sucre
1 c. à café de fécule de maïs
40 g de graines de chia + 20 cl d'eau ou 240 g de base chia (voir page 4)
40 g de sirop d'agave
80 g de dessert végétal nature à l'amande

CRÉMERIE

40 g de beurre salé
3 œufs
2 blancs d'œufs

À feu doux, faire chauffer le jus et les zestes de citron avec 150 g de sucre jusqu'à complète dissolution. Dans un bol, battre les œufs, ajouter le mélange citron-sucre en fouettant sans arrêt et ajouter la fécule de maïs. Transvaser dans la casserole et faire chauffer de nouveau à feu doux sans cesser de fouetter. Une fois la préparation épaissie, ajouter le beurre salé froid coupé en dés.

Répartir dans le fond de 4 verrines et réserver au réfrigérateur.

Mélanger l'eau et les graines de chia puis placer 2 heures minimum au réfrigérateur ou prélever 240 g de la base chia comme expliqué page 4. Ajouter le dessert végétal, le coulis de basilic et le sirop d'agave.

Pour la meringue, rassembler les blancs d'œufs et 125 g de sucre. Commencer à fouetter à la main, placer sur une casserole d'eau chaude tel un bain-marie sans cesser de fouetter. Quand le mélange atteint les 40 à 45 °C, transvaser dans le bol d'un robot et fouetter jusqu'à l'obtention d'une consistance mousseuse avec une bonne tenue. Sans thermomètre, arrêter la chauffe quand c'est « juste chaud » au toucher.

Répartir le pudding basilic au-dessus du lemon curd. Finir par la meringue suisse. Brûler au chalumeau et décorer avec une petite pousse de basilic.

Le lemon curd est connu notamment avec la tarte au citron mais il s'utilise en pâtisserie dans beaucoup d'autres recettes. Il apporte une consistance crémeuse et une délicieuse saveur acidulée à vos desserts.

L'AMÉRICAIN

VEGGIE

PRIMEUR

100 g de coulis de fruits rouges (voir page 62)
1 citron vert
1 citron jaune
1 orange
Quelques framboises

ÉPICERIE

60 g de graines de chia
60 g de sirop d'agave
150 g de biscuits nature
3 c. à soupe de sucre

CRÉMERIE

30 cl de lait entier
100 g de fromage blanc
100 g de fromage frais type Philadelphia®
60 g de beurre doux

Mélanger les graines de chia et le lait puis placer 1 heure minimum au réfrigérateur. Ajouter le fromage blanc, le fromage frais et le sirop d'agave. Placer de nouveau 1 heure minimum au réfrigérateur.

Pendant ce temps, trancher le citron jaune et l'orange finement puis les répartir sur une plaque de four protégée d'un papier cuisson. Saupoudrer délicatement un peu de sucre.

Faire sécher au four pendant 1 h 30 à 110 °C (th. 3-4).

Mixer les biscuits. Faire fondre le beurre et l'ajouter à la poudre de biscuit. Tasser ce mélange dans le fond de 4 verrines.

Répartir équitablement le pudding dans deux bols. Dans l'un, verser le coulis de fruits rouges et bien mélanger. Dans l'autre, zester le citron vert et bien mélanger.

Répartir dans chaque verrine la base chia fruits rouges sur les biscuits puis ajouter délicatement la base chia citron vert. Décorer de quelques framboises et d'agrumes séchés.

LE CLEAN

VEGAN & VEGGIE

PRIMEUR

1 kiwi
1 grenade
50 g de coulis de fruits rouges (voir page 62)
Quelques fraises

ÉPICERIE

60 g de graines de chia
25 cl de boisson végétale d'épeautre
200 g de purée d'açaï surgelée
90 g de sirop d'agave

Mélanger les graines de chia, la boisson végétale d'épeautre, la purée d'acaï décongelée, le coulis de fruits rouges et le sirop d'agave. Laisser reposer 2 heures minimum au réfrigérateur.

Placer des quartiers de kiwi et des lamelles de fraise dans le fond de 4 verres. Répartir délicatement le pudding.

Éplucher la grenade. Décorer les puddings de grenade, de kiwi et de fraise.

Note
L'açaï surgelée est de plus en plus répandue, on la trouve notamment dans les magasins bio.

LE PURIFIANT

VEGGIE

PRIMEUR

20 g de concombre
2 cm de racine
de gingembre frais
1 branche de menthe
Le jus de ½ citron vert

ÉPICERIE

40 cl d'eau de coco
15 g de graines de chia
Noix de coco râpée + miel

Bien frotter le concombre et le gingembre sous l'eau froide pour les nettoyer. Les tailler en lamelles en gardant la peau. Infuser à froid l'eau de coco avec les lamelles de concombre, les lamelles de gingembre et un peu de menthe fraîche. Compter 2 heures minimum ; cela peut se faire la veille pour encore plus de puissance aromatique.

Filtrer l'eau de coco et ajouter le jus de citron vert. Ajouter à cette eau parfumée les graines de chia et laisser reposer 2 heures minimum.

Faire tremper les bords d'un grand verre dans du miel puis dans de la noix de coco râpée pour décorer les bords.

Transvaser la boisson dans le verre en évitant de toucher les parois. Ajouter 1 morceau de gingembre et 1 lamelle de citron vert au moment de servir. Décorer d'un peu de menthe et d'une lamelle de concombre.

LE RÉGRESSIF

VEGGIE

PRIMEUR

2 bananes

ÉPICERIE

60 g de graines de chia + 30 cl d'eau ou 360 g de base chia (voir page 4)

120 g de dessert végétal nature à la noix de coco

60 g de sirop d'agave

4 c. à soupe de beurre de cacahuète

4 c. à soupe de noix de coco râpée

4 c. à soupe de noix de pécan

4 c. à soupe de pépites de chocolat

4 c. à soupe de granola miel et graines (voir page 61)

Mélanger l'eau et les graines de chia puis placer 2 heures minimum au réfrigérateur ou prélever 360 g de la base chia comme expliqué page 4. Ajouter à cette base le dessert végétal et le sirop d'agave.

Torréfier les noix de pécan pendant 12 minutes à 170 °C (th. 5-6). Les concasser grossièrement.

Répartir le pudding dans des bols évasés pas trop profonds. Dresser en ligne le beurre de cacahuète et, perpendiculairement, 5 lignes en alternant noix de coco râpée, noix de pécan grillées concassées, pépites de chocolat, rondelles de banane et granola miel et graines.

L'ANGLAIS

VEGGIE

ÉPICERIE

60 g de graines de chia
30 cl de thé Earl Grey bien infusé et refroidi
120 g de dessert végétal nature au lait d'amande
60 g de sucre muscovado
60 g de raisins secs
100 g de farine
40 g de sucre roux

CRÉMERIE

80 g de cottage cheese
20 cl de lait entier
70 g de beurre salé

Mélanger le thé et les graines de chia puis placer 2 heures minimum au réfrigérateur.

Ajouter le dessert végétal et le sucre muscovado. Bien fouetter.

Préchauffer le four à 170 °C (th. 5-6). Rassembler la farine et le sucre roux. Ajouter le beurre salé froid coupé en dés et travailler la pâte du bout des doigts. Former une boule, l'aplatir sur un format rectangulaire et prédécouper dans la hauteur de longues baguettes régulières de 1 à 2 cm de largeur. Réaliser à la fourchette des trous pas trop profonds sur la surface. Faire cuire pendant 20 à 30 minutes selon l'épaisseur.

Répartir le chia dans des coupelles. Faire chauffer le lait en le fouettant bien pour créer une écume.

Sur le pudding, ajouter 1 généreuse cuillerée à soupe de cottage cheese, les raisins secs et 1 cuillerée à soupe d'écume de lait. Servir avec un shortbread.

Le shortbread est ce fameux petit gâteau sec anglais aux notes de beurre salé qui se déguste avec un thé. Un régal !

LE SMOOTHIE

VEGGIE

PRIMEUR

60 g de coulis de fruits rouges (voir page 62)

1 banane

Le jus de ½ citron jaune

60 g de framboises

ÉPICERIE

La pointe d'un couteau d'agar-agar

10 g de graines de chia

5 cl de boisson végétale de soja à la vanille

15 cl d'eau de coco

5 g de graines de chia

Mélanger les 10 g de graines de chia avec la boisson de soja. Réserver 2 heures minimum au réfrigérateur.

Faire chauffer le coulis de fruits rouges à feu doux. Ajouter l'agar-agar, faire bouillir et fouetter vivement. Verser dans un verre et faire prendre au réfrigérateur.

Mixer la banane, l'eau de coco, le jus de citron et les framboises finement. Ajouter les 5 g de graines de chia et mélanger à la cuillère.

Dresser le pudding sur le coulis.
Verser délicatement le smoothie dessus.

LE BLUE

VEGAN & VEGGIE

PRIMEUR

Myrtilles
Mûres
2 bananes
1 citron vert
1 kiwi

ÉPICERIE

Noix de coco râpée et noix de coco en copeaux
60 g de graines de chia + 30 cl d'eau ou 360 g de base chia (voir page 4)
120 g de dessert végétal nature à la noix de coco
60 g de sirop d'agave
2 c. à soupe de spiruline bleue

Mélanger l'eau et les graines de chia puis placer 2 heures minimum au réfrigérateur pour développer le mucilage, autrement prélever 360 g de la base chia comme expliqué page 4.

Ajouter à cette base le dessert coco, la spiruline bleue et le sirop d'agave. Répartir le chia pudding bleu dans des bols.

Décorer d'une demi-banane en rondelles, de quelques mûres taillées en quatre, de myrtilles, de copeaux de coco et de coco râpée, de petits morceaux de kiwi. Finir avec une demi-tranche de citron vert.

Note
La spiruline bleue est différente de la verte, elle est moins marquée par le goût d'algue.

LE BOOSTER

VEGGIE

ÉPICERIE

60 g de graines de chia
30 cl de café doux refroidi
120 g de dessert végétal nature à l'amande
60 g de sucre muscovado
100 g de chocolat noir + quelques carrés
1 poignée de cerneaux de noix
4 pincées de fleur de sel

CRÉMERIE

10 cl de crème liquide
50 g de beurre salé

Mélanger le café froid et les graines de chia puis placer 2 heures minimum au réfrigérateur. Ajouter le dessert végétal et le sucre muscovado. Bien fouetter.

Faire chauffer la crème liquide à feu doux, ajouter le chocolat et fouetter pour le faire fondre. Ajouter hors du feu le beurre salé et fouetter pour lisser l'ensemble.

Répartir une fine couche de crème chocolat dans le fond de 2 verrines et laisser refroidir au réfrigérateur. Ajouter ensuite une première couche de pudding.

Faire tiédir à nouveau la crème chocolat pour pouvoir la manipuler, verser une fine couche au-dessus du pudding puis la replacer au réfrigérateur. Ajouter la deuxième couche de pudding. Finir par une dernière couche de crème chocolat.

Replacer au réfrigérateur et décorer de noix et de morceaux de chocolat. Parsemer une pointe de fleur de sel.

Note
Vous pouvez aussi décorer ce chia pudding avec le granola sans gluten au chocolat (voir p. 60).

L'ENGRAINÉ

VEGAN & VEGGIE

PRIMEUR

60 g de graines de chia + 30 cl d'eau ou 360 g de base chia (voir page 4)

120 g de dessert végétal nature au lait d'amande

4 c. à soupe de purée d'amandes

60 g de sirop d'agave

4 c. à soupe d'amandes entières décortiquées

1 c. à soupe de graines de chia

4 c. à soupe de graines de lin brun

4 c. à soupe de graines de tournesol

4 c. à soupe de graines de courge

Mélanger l'eau et les graines de chia et placer au réfrigérateur 2 heures au minimum ou prélever 360 g de la base chia comme expliqué page 4. Ajouter le dessert végétal, la purée d'amandes et le sirop d'agave.

Préchauffer le four à 160 °C (th. 5-6). Torréfier les amandes entières, les graines de tournesol et les graines de courge pendant 12 minutes. Une fois refroidies, concasser grossièrement les amandes entières.

Répartir le pudding dans des coupelles évasées. Dresser en lignes régulières les graines de chia brutes, les graines de lin, les amandes concassées, les graines de tournesol et les graines de courge.

LE GOLDEN

VEGGIE

PRIMEUR

Une douzaine de framboises

4 c. à soupe de confiture de myrtilles

ÉPICERIE

60 g de graines de chia + 30 cl d'eau ou 360 g de base chia (voir page 4)

120 g de dessert végétal nature à l'amande

60 g de miel

4 c. à café d'épices à Golden Latte : curcuma, cannelle, gingembre.

8 c. à soupe de granola miel et graines (voir page 61)

Mélanger l'eau et les graines de chia puis placer 2 h minimum au réfrigérateur ou prélever 360 g de la base chia comme expliqué page 4.

Ajouter à cette base le dessert végétal à l'amande, le miel et les épices.

Répartir le golden chia dans des petits bols. Ajouter au centre la confiture de myrtilles en l'étalant très grossièrement. Saupoudrer de granola sur la moitié de la surface. Décorer de rondelles de framboises.

Note
Il est possible d'acheter les épices à golden latte déjà composées.

LE JAPONAIS

VEGAN & VEGGIE

PRIMEUR

200 g de cerises

ÉPICERIE

30 g de graines de chia
15 cl de boisson végétale de soja non sucrée
20 g de sirop d'agave
1 c. à café rase de matcha
200 g de crème de marrons

Mélanger la boisson végétale de soja et les graines de chia puis placer 2 heures minimum au réfrigérateur. Ajouter le sirop d'agave et le matcha. Bien fouetter.

Dénoyauter et couper les cerises en quatre. Répartir la crème de marrons dans le fond des verrines. Déposer dessus la moitié du pudding au matcha. Décorer les parois des verrines de quartiers de cerise. Compléter avec l'autre moitié du pudding.

Décorer avec 1 cerise entière et un peu de matcha.

L’AUDACIEUX

VEGGIE

ÉPICERIE

60 g de graines de chia + 30 cl d’eau ou 360 g de base chia (voir page 4)
120 g de dessert végétal nature au lait d’amande
40 g de sirop d’érable
80 g de sucre muscovado
50 g de miso blanc
250 g de chocolat blanc
1 poignée d’amandes entières décortiquées

CRÉMERIE

20 cl de crème liquide

Mélanger l’eau et les graines de chia puis placer 2 heures minimum au réfrigérateur ou prélever 360 g de la base chia comme expliqué page 4. Ajouter le dessert végétal et diviser cette masse en deux. Dans la première, ajouter le sirop d’érable. Dans la seconde, ajouter la pâte de miso blanc et 40 g de sucre muscovado.

Faire chauffer la crème liquide à feu moyen, ajouter 200 g de chocolat blanc et fouetter sans arrêt.

Faire chauffer le sucre muscovado restant avec les amandes entières décortiquées pour les caraméliser. Débarrasser sur une feuille de papier cuisson et laisser refroidir. Concasser grossièrement. Réaliser des copeaux avec les 50 g de chocolat blanc restants.

Dresser 4 verres étroits à bords hauts en démarrant par le pudding au sirop d’érable. Ajouter le pudding au miso et finir par la crème au chocolat blanc. Placer au réfrigérateur pour figer l’ensemble. Décorer de nougatine concassée et de copeaux de chocolat blanc.

Note
Le miso blanc se trouvera dans les magasins bio ou les épiceries japonaises.

LE CHORCOAL

VEGGIE & VEGAN

PRIMEUR

200 g de mûres
Coco fraîche

ÉPICERIE

60 g de graines de chia + 30 cl d'eau ou 360 g de base chia (voir page 4)
320 g de dessert végétal nature à la noix de coco
60 g de sirop de coco
4 c. à café de poudre de charbon

Mélanger l'eau et les graines de chia puis placer 2 heures minimum au réfrigérateur ou prélever 360 g de base chia comme expliqué page 4.

Ajouter à cette base 120 g de dessert coco, le sirop de coco et la poudre de charbon.

Écraser grossièrement la moitié des mûres dans les 200 g de dessert à la coco restant.

Répartir dans 4 verres la moitié du dessert coco à la mûre. Ajouter au-dessus le chia pudding au charbon. Répartir à nouveau le dessert coco à la mûre quasiment jusqu'au bord du verre. Finir avec des morceaux de coco fraîche et des rondelles de mûres.

Note
« Chorcoal » signifie charbon en anglais, vous pouvez également l'utiliser dans vos boissons lactées.

LE TAPIOCA SAFRANÉ

VEGGIE

PRIMEUR

1 orange

ÉPICERIE

30 cl de boisson végétale d'amande
30 g de tapioca
30 g de miel toutes fleurs
Quelques pistils de safran
40 g de sucre muscovado
1 poignée d'amandes entières décortiquées
Quelques pistaches
2 c. à soupe de sucre

Trancher l'orange finement, répartir sur une plaque de four protégée de papier cuisson et saupoudrer délicatement un peu de sucre. Faire sécher au four pendant 1 h 30 à 110 °C (th. 3-4).

Faire chauffer la boisson d'amande avec le safran et le miel. Quand le mélange frémit, ajouter en pluie le tapioca. Faire cuire 7 minutes en remuant sans arrêt.

Faire chauffer le sucre muscovado avec les amandes entières décortiquées pour les caraméliser. Débarrasser sur une feuille de papier cuisson et laisser refroidir. Concasser grossièrement.

Dresser le tapioca dans des coupelles, décorer avec un morceau d'orange séché, des pistaches concassées et des amandes caramélisées.

LE PINK TAPIOCA

VEGAN & VEGGIE

PRIMEUR

Quelques mûres
Quelques framboises

ÉPICERIE

30 cl de lait d'amande
30 g de tapioca
40 g de sirop d'agave
30 g de coulis de fruits rouges (voir page 62)
4 c. à soupe de granola vegan aux fruits rouges (voir page 61)
Copeaux de noix de coco
Graines de lin blond

Faire chauffer le lait d'amande. Quand le mélange frémit, ajouter en pluie le tapioca. Faire cuire 7 minutes en remuant sans arrêt. Ajouter le sirop d'agave et le coulis de fruits rouges.

Dresser le tapioca dans des coupelles puis décorer avec une ligne de framboises coupées en quatre, une ligne de copeaux de noix de coco, une ligne de lamelles de mûres, une ligne de graines de lin et une ligne de granola vegan aux fruits rouges.

LE PORRIDGE POIRE POCHÉE

VEGGIE

PRIMEUR

4 poires Conférence
Quelques fraises, framboises, myrtilles

ÉPICERIE

160 g de flocons 5 céréales
50 cl de boisson végétale d'épeautre
4 c. à soupe de miel toutes fleurs
4 c. à café de purée d'amandes complètes
50 g de sucre
6 g de thé Earl Grey
Quinoa soufflé
Quelques pistaches
500 ml d'eau

Faire chauffer l'eau et faire infuser le thé 10 minutes. Filtrer et faire chauffer à nouveau avec le sucre sur feu doux.

Éplucher les poires et les faire pocher à petits frémissements pendant 45 minutes. Laisser reposer dans le thé jusqu'à utilisation.

Sur feu doux, faire chauffer la boisson d'épeautre. Ajouter les flocons en pluie et faire cuire 7 à 8 minutes en remuant régulièrement. Quand la consistance est onctueuse et crémeuse, ôter du feu. Ajouter la purée d'amandes et le miel.

Répartir dans 4 coupelles évasées puis placer une poire au centre de chacune.

Sur le dessus, disposer des lamelles de framboise, des quartiers de fraise, des myrtilles, du quinoa soufflé et des pistaches concassées.

Note
Les poires peuvent se conserver au réfrigérateur dans cette infusion pendant plusieurs jours.

LE PORRIDGE ÉQUILIBRÉ

VEGGIE

PRIMEUR

1 morceau d'ananas
Quelques fraises

ÉPICERIE

40 g de flocons 5 céréales
125 ml de boisson végétale d'épeautre
1 c. à soupe de miel toutes fleurs
2 c. à café de purée d'amandes complètes
2 c. à soupe de dessert végétal nature à la noix de coco
1 c. à soupe de granola de fruits rouges (voir page 62)
Noix de coco râpée et menthe fraîche

Sur feu doux, faire chauffer la boisson végétale à la casserole. Ajouter les flocons en pluie. Faire cuire 7 à 8 minutes en remuant régulièrement. Quand la consistance est onctueuse et crémeuse, ôter du feu. Ajouter 1 cuillerée à café de purée d'amandes, 1 cuillerée à soupe de miel et 1 cuillerée à soupe de dessert coco.

Répartir dans une coupelle évasée ou un bol. Sur le dessus, décorer en 5 zones : dessert à la noix de coco, purée d'amandes complètes, brunoise d'ananas, quartiers de fraise et granola. Parsemer la noix de coco râpée et décorer avec des feuilles de menthe fraîche.

BIRCHER MUESLI AUX FRUITS D'ÉTÉ

VEGGIE

PRIMEUR

2 pommes douces type Royal Gala
1 grenade
Le jus de 2 citrons jaunes
12 fraises
Quelques myrtilles
Feuilles de menthe fraîche

ÉPICERIE

200 g de flocons 5 céréales
30 cl de boisson végétale de soja non sucrée
80 g de miel toutes fleurs
200 g de dessert de soja nature
Graines de courge

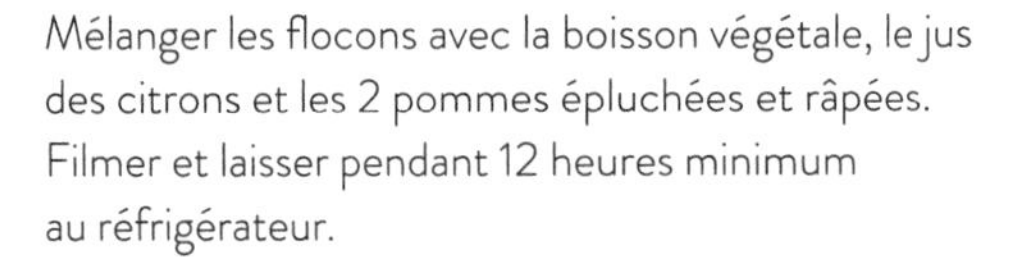

Mélanger les flocons avec la boisson végétale, le jus des citrons et les 2 pommes épluchées et râpées. Filmer et laisser pendant 12 heures minimum au réfrigérateur.

Le lendemain, ajouter le dessert de soja et le miel.

Servir dans des coupelles en ajoutant dans chacune les fraises, les graines de grenade, les myrtilles, quelques graines de courge et des feuilles de menthe.

Note
Le bircher muesli est une recette inventée par le Dr Bircher qui la servait dans son centre de remise en forme situé dans les Alpes.
Les flocons ne sont pas cuits comme dans un porridge mais fermentent naturellement par l'action de la pomme râpée et du jus de citron, top pour la digestion !
On pourrait remplacer le miel par du lait concentré sucré mais je préfère le miel pour son goût et son côté encore plus sain.
C'est un vrai régal tout en étant une formule magique, à la fois équilibrée et parfaite pour tenir jusqu'au déjeuner.

BIRCHER MUESLI AUX FRUITS D'AUTOMNE

VEGGIE

PRIMEUR

2 pommes douces type Royal Gala + 1 morceau
Le jus de 2 citrons jaunes
4 dattes
4 figues

ÉPICERIE

200 g de flocons 5 céréales
30 cl de boisson végétale de soja non sucrée
80 g de miel toutes fleurs
200 g de dessert de soja non sucré
4 c. à soupe d'éclats de fèves de cacao

Mélanger les flocons avec la boisson végétale, le jus des citrons et les 2 pommes épluchées et râpées. Filmer et laisser pendant 12 heures minimum au réfrigérateur.

Le lendemain, ajouter le dessert de soja et le miel.

Servir dans des coupelles en ajoutant dans chacune une datte, une figue et un morceau de pomme coupé ainsi que 1 cuillerée à soupe d'éclats de fève de cacao.

L'AVOCAT ZAATAR

VEGGIE

PRIMEUR

2 avocats
1 citron vert
5 c. à soupe de ciboulette fraîche ciselée

ÉPICERIE

40 g de graines de chia + 20 cl d'eau ou 240 g de base chia (voir page 4)
2 c. à soupe d'huile d'olive
1 poignée de graines de courge
Zaatar
Sel fin et fleur de sel

CRÉMERIE

80 g de fromage blanc fermier
4 œufs

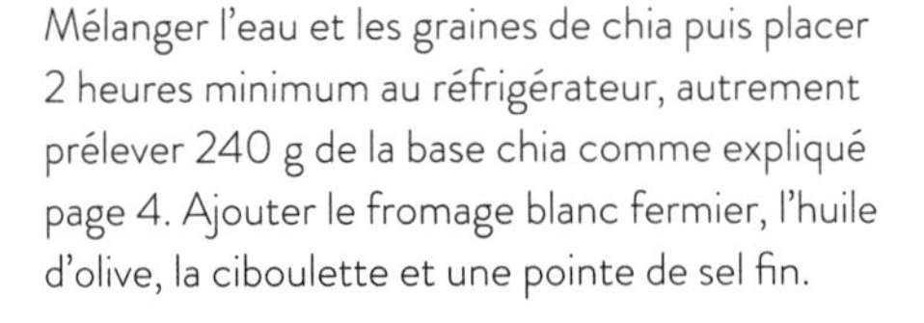

Mélanger l'eau et les graines de chia puis placer 2 heures minimum au réfrigérateur, autrement prélever 240 g de la base chia comme expliqué page 4. Ajouter le fromage blanc fermier, l'huile d'olive, la ciboulette et une pointe de sel fin.

Torréfier les graines de courge 12 minutes au four à 160°C.

Cuire les œufs mollets 6 minutes dans une casserole d'eau bouillante. Les écaler.

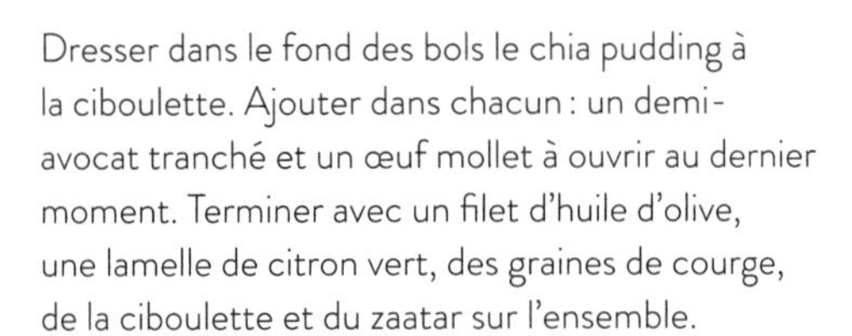

Dresser dans le fond des bols le chia pudding à la ciboulette. Ajouter dans chacun : un demi-avocat tranché et un œuf mollet à ouvrir au dernier moment. Terminer avec un filet d'huile d'olive, une lamelle de citron vert, des graines de courge, de la ciboulette et du zaatar sur l'ensemble.

Note
Le zaatar est originaire du Moyen-Orient. C'est un mélange de thym, d'origan ou de marjolaine, de sumac et de sésame. Je le saupoudre aussi bien sur un houmous que sur une salade de chèvre chaud. Il est ici un délicieux mariage avec l'œuf et l'avocat !

LE CAROTTE CURRY

VEGGIE

PRIMEUR

500 g de carottes

ÉPICERIE

60 g de graines de chia
30 cl de lait d'amande non sucré
4 c. à soupe de granola salé au curcuma (voir page 60)
½ c. à café de curry doux en poudre
Sel fin

CRÉMERIE

40 g de beurre salé
8 c. à soupe de crème épaisse

Mélanger le lait d'amande, le sel et les graines de chia puis placer 2 heures minimum au réfrigérateur.

Éplucher les carottes et en garder une à trancher en fines rondelles pour le montage. Faire cuire les carottes restantes dans de l'eau bouillante salée jusqu'à ce qu'elles soient tendres. Mixer finement avec le beurre salé. Faire blanchir les rondelles de carotte pendant 7 à 8 minutes. Égoutter et réserver.

Faire chauffer la crème avec un peu de sel fin et le curry. Dresser la purée de carottes, un peu de graines de chia et des rondelles de carottes blanchies, placées sur les parois. Ajouter les graines de chia et terminer par la crème curry. Laisser prendre au réfrigérateur.

Continuer la superposition avec la purée de carottes, les graines de chia, un peu de crème curry et décorer avec du granola salé.

LE BETTERAVE CHÈVRE

VEGGIE

PRIMEUR

1 betterave rouge cuite
Menthe fraîche

ÉPICERIE

60 g de graines de chia + 30 cl d'eau ou 360 g de base chia (voir page 4)
50 g de jus de betterave
2 c. à soupe d'huile d'olive
Sel fin
Fleur de sel

CRÉMERIE

120 g de fromage blanc fermier
200 g de chèvre frais
20 cl de crème liquide

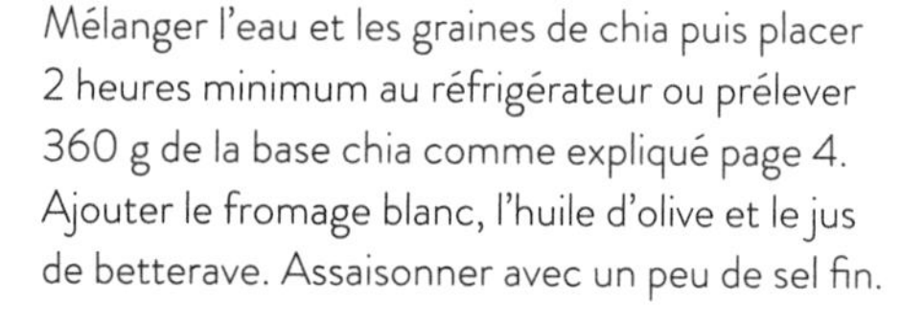

Mélanger l'eau et les graines de chia puis placer 2 heures minimum au réfrigérateur ou prélever 360 g de la base chia comme expliqué page 4. Ajouter le fromage blanc, l'huile d'olive et le jus de betterave. Assaisonner avec un peu de sel fin.

Mixer le chèvre frais et la crème liquide. Assaisonner avec un peu de sel fin. Dresser en couches la crème de chèvre et le pudding.

Éplucher et couper la betterave cuite en brunoise fine. La placer sur le dessus. Assaisonner avec un peu d'huile d'olive et de fleur de sel. Finir par une sommité de menthe fraîche.

L'ITALIEN

VEGGIE

PRIMEUR

2 c. à soupe de coulis de basilic (voir page 62)

Quelques tomates cerises

Basilic frais

ÉPICERIE

30 g de graines de chia

15 cl de bouillon de légumes refroidi

1 poignée de pignons de pin

Huile d'olive

Sel fin + fleur de sel

CRÉMERIE

30 g de mascarpone

½ boule de mozzarella di buffala

Mélanger le bouillon de légumes froid avec les gaines de chia au fouet puis placer 2 heures minimum au réfrigérateur. Ajouter le mascarpone, un peu de sel fin et le coulis de basilic. Rectifier l'assaisonnement en sel fin si besoin.

Préchauffer le four à 170 °C (th. 5-6). Torréfier les pignons de pin pendant 12 minutes. Laver les tomates cerises et les tailler en deux. Dans un plat à gratin, répartir les demi-tomates et les arroser d'un filet d'huile d'olive. Assaisonner de sel fin. Rôtir pendant 15 minutes.

Égoutter et tailler la mozzarella en tranches, puis couper chaque tranche en deux. Dans des coupelles individuelles, répartir 1 généreuse cuillerée de pudding puis placer ½ tranche de mozzarella. Surmonter l'ensemble de ½ tomate cerise rôtie.

Finir par quelques pignons, un peu d'huile d'olive, une petite pousse de basilic et de la fleur de sel.

LES GRANOLAS

SANS GLUTEN CHOCOLAT-PÉCAN

500 g de flocons de sarrasin
75 g de cacao en poudre non sucré
1 généreuse pincée de sel fin
170 g de noix de pécan
50 g de graines de sésame
200 g de miel toutes fleurs
125 g d'huile de tournesol
125 g de pépites de chocolat noir
85 g d'eau

Mélanger les flocons, le cacao en poudre, le sel, les noix de pécan et le sésame. Faire chauffer l'eau, l'huile et le miel pour le faire fondre. Verser sur les éléments secs. Recouvrir une plaque de four de papier cuisson. Répartir le granola sur 2 cm d'épaisseur. Faire cuire à 160 °C (th. 5-6) pendant 30 minutes en remuant deux-trois fois. Laisser refroidir complètement puis ajouter les pépites de chocolat.

SALÉ AU CURCUMA, NOIX ET GRAINES

500 g de flocons 5 céréales
10 g de curcuma en poudre
10 g de sel fin
75 g de graines de courge
75 g de graines de tournesol
75 g de graines de sésame
150 g d'amandes décortiquées
3 blancs d'œufs
125 g d'huile d'olive

Mélanger les flocons, le curcuma, le sel, les graines de courge, de tournesol et de sésame, et les amandes. Ajouter les blancs d'œufs et l'huile d'olive. Bien mélanger. Recouvrir une plaque de four de papier cuisson. Répartir le granola sur 2 cm d'épaisseur. Faire cuire à 160 °C (th. 5-6) pendant 30 minutes en remuant deux-trois fois.

VEGAN AUX FRUITS ROUGES ET NOIX DE CAJOU

125 g de coulis de fruits rouges
(voir page 62)
100 g de baies de goji
100 g de cranberries
500 g de flocons 5 céréales
1 généreuse pincée de sel fin
150 g de noix de cajou
50 g de graines de sésame
125 g d'huile de tournesol
125 g de sirop d'agave

Mélanger les flocons avec le sel, les noix de cajou et le sésame. Ajouter l'huile de tournesol, le coulis de fruits rouges et le sirop d'agave. Recouvrir une plaque de four de papier cuisson. Répartir le granola sur 2 cm d'épaisseur. Faire cuire à 160 °C (th. 5-6) pendant 30 minutes en remuant deux-trois fois. Laisser refroidir complètement puis ajouter les baies de goji et les cranberries.

MIEL ET GRAINES

500 g de flocons de 5 céréales
1 généreuse pincée de sel fin
½ c. à café de cannelle
50 g de graines de courge
75 g de graines de tournesol
75 g d'amandes décortiquées
75 g de noisettes décortiquées
50 g de sésame
200 g de miel toutes fleurs
125 g d'huile de tournesol
85 g d'eau

Mélanger les flocons avec le sel, la cannelle, les graines de courge, les graines de tournesol, les amandes, les noisettes et le sésame. Faire chauffer l'eau, l'huile et le miel pour le faire fondre. Verser sur les éléments secs. Recouvrir une plaque de papier cuisson. Répartir le granola sur 2 cm d'épaisseur. Faire cuire à 160 °C (th. 5-6) pendant 30 minutes en remuant deux-trois fois.

LES COULIS

VEGGIE

FRUITS ROUGES

500 g de fruits rouges frais ou surgelés
1 citron vert
50 g de sucre roux
10 cl d'eau

Faire chauffer l'eau avec le sucre roux pour le faire fondre. Ajouter les fruits rouges. Une fois à légers frémissements, faire cuire une dizaine de minutes sans couvercle. Ôter du feu et ajouter le jus de citron vert. Mixer finement. Filtrer.

MANGUE PASSION

La chair de 2 mangues
La pulpe de 4 fruits de la Passion
½ citron vert
20 g de sucre roux + 10 cl d'eau

Faire chauffer l'eau avec le sucre roux pour le faire fondre. Ôter du feu. Mixer la chair des mangues, la pulpe des fruits de la Passion et le jus de citron avec le sirop. Filtrer.

HERBES FRAÎCHES

2 bouquets d'herbes fraîches (persil, cerfeuil, basilic, etc.)
1 c. à soupe de gros sel
1 pincée de sel fin
20 cl de crème liquide entière

Couper l'extrémité des tiges et laver les herbes. Porter une casserole d'eau à ébullition avec le gros sel. Plonger les herbes et compter 30 secondes. Égoutter et refroidir dans l'eau froide avec des glaçons. Égoutter et presser les herbes pour ôter l'excédent d'eau. Faire tiédir la crème, ajouter les herbes et mixer finement avec le sel. Filtrer.

58, rue Jean Bleuzen
92178 Vanves Cedex

Stylisme : Élodie Rambaud
Mise en pages : Matthieu Corgnet
Préparation : Sabrina Bendersky
Relecture : Véronique Dussidour

6436434
ISBN : 978-2-501-14240-3
Dépôt légal : août 2019
Achevé d'imprimer en France par Pollina - 90718